波動発電は宇宙の采配

高木利誌

明窓出版

まえがき

ＷＢＣ優勝の原動力として大活躍をした、大谷翔平選手のインタビューに対する受け答えを読んだ。

感動する言葉がたくさんあったが、特に心に響いたものを列挙する。

・１６０キロを目標にしたときも、できないと思ったら終わりだと思って、３年間やってきました。

・僕の才能が何かと考えたとき、それは伸び幅なのかと思いました。

・ピッチングにしてもバッティングにしても、自分の形をどれだけ高いレベルでできるのかなっていうところに楽しみがある。

・やりたいことができている試合は多いかなと思います。とくに長打は自分の持ち味なので、しっかり芯に当てれば、勝手にボールが飛んでいって、長打になってくれる。

・今年はうまくいかないことも血肉になる打席が多いと思います。

・ピッチャーはゲームを作れる。バッターはゲームを決められる。

・やれるかやれないかではなくて自分次第。

・(努力して) 勝っていけばいい。そこがいいところ。

・(プロフェッショナルとは) 分からないですね。定義としてお金を稼いでいるかどうかになると思いますけど、その価値観では野球はやってない。

・（ファンの声援は）一番のドーピングじゃないかなと思ってる。

・人生が夢を作るんじゃない。夢が人生をつくるんだ。

・他人がポイッて捨てた運を拾っているんです。

・成功するとか失敗するとか僕には関係ない。それをやってみる事の方が大事。

・自分の評価は自分でしないっていう風に決めているので。

・「誰もやった事がない事をやりたい」という気持ちがすごくあります。

・悔しい経験がないと、嬉しい経験もない。

・これから先、どれだけ伸びるかということの方が、すごく大事かなと思います。

・無理だと思わないことが一番大事だと思います。無理だと思ったら終わりです。

・イラっときたら、負けだと思っています。

・僕がどういう選手になるのかというのは、自分で決めること。

・憧れるのを、やめましょう。今日、超えるために、トップになるために来たんで。

・無駄な試合や無駄な練習というのはない。

読んだ後には、涙がこぼれ、目頭が熱くなった。こんなことは久しぶりである。「これは、以前には当たり前に学んでいた、『教育勅語』を思わせてくれる。古来から続く、日本人の美しき心ではないか」と。

自分が置かれた立場をしっかりと考え、他人を思いやる心も持ち、深い洞察力をうかがわせる。

まだ20代の青年が、こんなことを大舞台で表現できるとは、本当に感心した。これこそ、日本の心ではないか。

現在の世界では、いまだ土地や資源を取り合って戦いを繰り広げている。

日本でも、他者が開発した技術を勝手に取り込んで、自身の事業を拡大、開拓するようなことが散見される。特許などどこふく風とばかりに、自分の事業を最優先にしているような例をどれほど見たことだろう。

なんとも情けない現実がそこにある。

私は、あるときに夢の中で「この世で人類のために尽くせ」とのお諭《さと》しをいただいた。そこから、自身の利益よりも他者や社会に役立つことを常に考えるようになった。それを目標にして開発を始めると、次々に新規顧客が現れ、開発を続けられる環境がいただけるようになっていた。

とはいえ、次々に難関がやってきて、克服を迫られている。苦境をいかに乗り越えるかがいつも課題としてのしかかる。

波動に詳しい、工業大学を出た次女夫婦が引き継いでくれるというので、苦境を乗り越えるための一環として、「合同会社波動科学研究所」を設立、発足した。

齢《よわい》90歳を超えても、好きな研究をし、自由に仕事をするためでもある。

現在、巷では南海トラフの巨大地震を想定して、準備せよとしきりに言われている。

そこで、誰でも応急処置として使える技術を考える毎日である。雨水や川の水から、飲んでも問題のない安全な水を作る。ありあわせの材料でとりあえずの明かりを確保する。電源がなくても携帯電話を充電できる。使えなくなった乾電池を復活させる。などなど、模索に模索を重ね、実験の毎日である。

波動発電は宇宙の采配

第一章　農業、脱皮の時代

農業、脱皮の時代

以前、知り合いの柴原薫南木曽《なぎそ》木材社長様から、新鮮なトマトが1箱送られてきた。きれいなトマトだったが、ちょっと今まで見たことのないような感じがしたので、近くに住む小学校時代の同級生で、野菜栽培専門農家の萩野正行君をたずね、

「トマトをいただいたが、このトマト、ちょっと他と違うような気がするよ」と聞いてみた。

「では、その農家を見学に行こう」ということになり、2人で住所の箱書きを見て、丹波篠山の農家、清水さんをおたずねした。

東名高速道路が工事中で、かなり予定より遅れて到着したけれども、快く出迎えていただき、案内されたのはビニールハウスであった。

そこには、なんともすばらしく成長した、175センチの身長の私を凌ぐトマトがあった。しかも、その木はたった一本。水耕栽培で、浸されていたのは1株だけの木だったのだ。

水の中には、鉱石が10個ほど入ったカップのようなものがあったことに目がいった……土の代わりに石からミネラルが与えられているのか、と私は思った。水耕栽培用の肥料もあげているのかもしれないが、石が重要な役割を果たしているように思えてならない。根元には、握りこぶしより少し小さい石が根を支えているように見えた。

1本の苗から伸びた枝が棚一面広がり、赤く熟したトマトを鈴なりに付けていた。

そうした栽培法を初めて目にした私としては、「あ……なんということだ。トマトが泣いている……」と感じた。やはり、土が欲しいとトマトが訴えているのではないかと思ったくらいである。

お話をお聞きすると、4人の農家が開発して始めた「水耕栽培」であるとか。

呆気に取られていたが、その後、1985年につくば科学万博が開催され、1万個の実を付けた1本のトマトの巨木が展示されたと、新聞で話題になっていた。

ネットで見ると、土を使わないのは、トマトにストレスを与えずにのびのびと育てるため、とある。

農業とは、土地が主体と思いきや、土を離れても収穫できるという、野菜の生産技術が脱皮するという次の時代の幕開けであった。

農家といえども、田畑に頼ることは必要ない。これからの農家は変わるぞ、と実感していた。

その後、取引先の豊田工機の重役さんの奥様が、大掛かりなハウスでの野菜栽培を職業とされているということで、その栽培状況をお見せいただいた。

そのとき、誰にでも出来できるキットがあることも教えていただけたのだ。

インターネットで検索してみると、１００円ショップで販売している商品で作成したものもあれば、３万円ほどのキットまでいろいろとある。

私が関心のあるものは、水を波動水にして、完全な自然栽培、それも、ご家庭でできるベランダ栽培である。イチゴが好きな家庭ならイチゴ、パイナップルと思えばパイナップル、とうもろこしが欲しければとうもろこし、と、思いのままに育てることができないかと試しているところだ。

実験というものは、際限がない。それは一つの楽しみであり、実験が成功して、製品として出来上がったときの喜びは大きい。

これまでも何度も書いてきたことであるが、使えなくなった電池を復活させられる製品を見せると市役所に、「これでは電気屋が困る」と叱られ、無電源充電についても認めてもらえず、工業試験所に持ち込もうとしても、受け付けてもいただけない。

良いものだからといって、普及するとは限らない、とはよく聞くことだが、それを深く実感するところである。

ベランダは野菜畑

以前、河合勝先生のご本、『科学はこれを知らない　人類から終わりを消すハナシ』（ヒカルランド）を読んで、知花敏彦先生の講演録があることを知り、とても興味を抱き、河合先生をお招きしてご講演いただいた。

知花先生の講演録というのは、『宇宙科学の大予言』（廣済堂）という本である。

その中でも、特に参考になったところを引用させていただく（引用　P250～254）。

（引用はじめ）

安全な食糧資源を安価なコストでの大量供給

（前略）微生物は人間に微生物を殺す農薬の生産をやめてほしいといっているのです。

微生物はエサを食べやすい状態で、なおかつ微生物の動きやすい環境を整えてやると、瞬時に倍、倍と増え続けてくれます。

まさに無限供給が可能なのです。微生物のエサは有機質のものなら何でも食べます。

今、有機物の生産廃棄物の処分に自治体は困っています。

生ゴミ、汚泥、草木、家畜の糞尿、デンプンカス、焼酎カス等々、膨大な量のものが余っています。

これは微生物にとってはエサなのです。これらの廃棄物を微生物に食べてもらい、微生物の固まりである完熟堆肥を造ればよいのです。

微生物の働き方を知れば、完熟堆肥の造り方は簡単です。一般には全国の堆肥工場はほとんどうまく稼働していません。莫大な補助金が浪費されています。それは堆肥の造り方をよく知らないからです。

これらの有機物廃棄物から完熟堆肥を生産し、畑に戻してやれば、土壌中の微生物が復活することになりますから、無農薬、無化学肥料の100%有機栽培が可能となります。

土壌中や廃棄物の汚泥中に、農薬やダイオキシンや重金属等の有機物質が含まれていても、完熟堆肥中の大量の微生物にこれらを食べさせれば、微生物が元素転換により、有機物を無害にしてくれます。

この完熟堆肥は微生物の固まりですから、蛋白とミネラルの固まりであり、家畜にとっては最高の完全栄養食品となります。

牛に従来の飼料と、それに完熟堆肥をミックスした飼料を同時に与えますと、100%の牛が完熟堆肥をミックスした飼料を先に食べます。

動物は醱酵食品が好きなのです。

それは、蛋白とミネラルの固まりであり、栄養価が高く、健康に良い安全食品であることを知っているからです。

バガス（砂糖キビの絞りカス）を醱酵させた飼料のみを与えた牛は、肉の重量も多くなり、肉質も良くなることが実証されています。

これから、地球上の人類に食糧危機が迫ろうとしています。

すでに、人口の3分の2は飢餓状態にあります。

今、家畜には大豆やトウモロコシを与えていますが、これは生の状態のものですから、家畜が消化できずにその3分の2は糞として体外へ排出してしまいます。

穀物は人間が直接食べるのが一番効率がよいのですが、畜肉にすると、豚で五倍、牛で七倍の穀物を消費してしまうのです。

完熟堆肥は微生物の固まりですから、完全栄養で１００％消化吸収されます。

家畜には廃棄されている有機物から造った完熟堆肥を与えることにより、安全な肉の生産が可能となり、高価な飼料を与えなくてもすみますから、経済的にも有利です。

今こそ私達は発想の転換が必要です。

究極の植物生産技術の実現

これまでの植物学界では、土壌中の微生物についてはいろいろと研究されてきましたが、地上の葉や幹の微生物については、あまり研究がされていません。

植物は土壌中の根からと、葉での光合成により栄養分を吸収しています。（高木注・根は土壌中のケイ素を溶かし、幹や葉を形成するので、良質のケイ素は成長にかかせない）

葉には主として好気性菌が住み、これが光合成を行って、酸素やアミノ酸蛋白を生産しています。

私達は葉緑素が光合成をしていると考えていますが、葉に住む好気性菌が光合成をしているのです。

サツマイモの葉とツルを絞り、そのジュースにいる好気性菌にエサを与えて培養します。そしてその培養液を五十~百倍に薄めて、サツマイモの葉に一~二回噴霧してやりますと、サツマイモの生産性が五倍程度に増えます。

大きなサツマイモが取れて、従来の方式で六十五日収穫に要したものが四十五日程度で収穫できます。

完全栄養ですから、農薬や化学肥料は必要としないでも育ちます。

葉に住むバクテリアを五倍に増やしてやると、光合成を五倍行いますから、それだけアミノ酸蛋白の生産が多くなることになります。

ホーレン草の葉を微生物を殺さないように絞り、ジュースにして取り出し、それを糖蜜等をエサに培養してやります。

好気性菌の醱酵は臭いをほとんど出しませんし、常温なら四〜五日で醱酵します。この液を五十〜百倍に薄めて、ホーレン草の葉に一〜二回スプレーするだけでよいのです。ホーレン草は一メートルの高さに育ちます。

地上部の微生物を活用しますから、土壌中の微生物に依存する栽培とは違い、連作障害もあまり生じません。

（引用おわり）

だれでも簡単にできて、無農薬、無肥料で多収穫など、こんなうまい話があるはずがないと思ったが、ものは試し、さっそく実行してみることにした。

前年に育てたサツマイモのつるを刻んで、小さなびん（8リッター）に糖みつを入れて培養したものがあったので、サツマイモの葉の部分の培養液を作った。

そんなとき、庭先でプランターに植えていたキュウリに病気がでて、葉が白くなり枯れそうになっていた。

そこで、このサツマイモの培養液を100倍くらいに薄めて水分補給として与えてみた。枯れかけた葉はそのままであったが、先端からは元気な芽が出て、つるが2本伸び、雌花がついてみるみる大きくなった。


花が咲いてから4日目には収穫できるほどになり、5日目には大きくなりすぎたくらいで、毎日2本ずつ収穫できた。

サツマイモの培養液はそんなにたくさんなかったので、大根の葉やほうれん草の葉など他の培養液でもやってみたが、同じく良好な結果であった。

また、雑草で作った培養液でもよいことが確認できた。

それと、あまりおすすめできない例であるが、東北の放射能汚染された雑草（12〜13マイクロシーベルト）を糖みつで培養したら、1週間後に数値が0．10以下になったものがあったのでこれも与えてみたが、同じような結果であった。

私の生まれは、祖父の代までは農家で、祖母がたばこやお菓子などを細々と扱っていた店があった。

その後、父が始めた呉服屋が火事に遭い、紆余曲折を経てまた農業をやるようになり、私の中学高校時代には、1町5反（4500坪くらい）ばかりの農家であった。

お世辞にも上手な農家とはいえなかったが、戦時中でもあり、肥料もなく、町から糞尿を取り寄せて、草や稲わらと合わせて堆肥を作り、田んぼも野菜作りもその堆肥のみを使用していた。


そうしたことから、農作物の栽培法には非常に関心があった。

警察官退職後に工場を始めたが、60歳を機に息子に工場を任せるようになった。

実家の農業は弟が引き継いでいたので、農協から田んぼを借りて、だれもやらないような実験農業を始めることにした。

無農薬、無肥料で、天変地異などのいざというときのための、種を必要としない栽培法も試みた。

稲、トマト、ナスなどは、秋に枝を残しておいて、春にその芽を植えて増やし、栽培してみた（稲は節から芽が出て成長し穂が出るが、実りが早すぎて雀に食べられ、収穫できなかった。ところが節から穂が出て、複数回収穫できる可能性はあるが、多くの実りは期待できないのでおすすめはしない。ナスやトマトも、年々実が小さくなるようで、これもおすすめはできない）。

無農薬、無肥料のために、微生物農法もいろいろ試した。

比嘉輝夫先生のＥＭ研究会にも参加させていただき、実施してみた。

そして、70歳になって体力的に限界を感じ、農協に農地を返して、だれでもできる野菜のプランター栽培や、ドラム缶稲作を楽しんでいるところである。

言うなれば、ベランダ農業というところである。

しかし、農地を借りて稲作をしたときに、石の波動と微生物を組み合わせて実験したものと比較して、この知花農法は確かに素晴らしい。だれでもどこでも実践できて、さらに促成栽培かつ多収穫である（ちなみに、農協から借りた田んぼに鉱石粉を1アール当たり10キロ入れたところ、30年たった今でも、隣の田と比較して電圧が0．1ボルト高い）。

必要な材料は、鉱石粉と、野菜くずか雑草でよく、それと黒砂糖があれば十分である。作物の元気がよく、病気も出ないし害虫も寄り付かない。

スイカ、キュウリ、サツマイモ、トウモロコシ、ピーナッツ、ナス、ピーマン、トマトなどいろいろ試してみたが、出来栄えはとにかく素晴らしく、味もよい。

さらに、マンゴー、レモン、チャボチカバ（主に南米で採れる果物）、パパイヤなどの熱帯植物も見違えるような出来栄えで、マンゴなどは手のひらに載りきれないような大きさの実になった。

マンゴーやパイナップルは味も香りも格別で、まさに申し分ない。

2018年10月の台風20号によりハウスの尾根が飛び、マンゴーの茎が切れてしまったので果実を採って計ってみたら、太さ14センチ、長さ18センチ、重量1221グラムでまだ熟していなかった。食味は不明であるが、なかなか熟さないので、ことによると不向きかもしれない。来年再び検証が必要である。

また、パパイヤは木が高くなり、ハウスには無理らしいことがわかったので、要再検討である。

知花先生が、ブラジルなど南米で指導されていたとき、何度も機会があったのにも関わらず、結局、お目にかかれなかったのが残念であった。

第二章　波動充電の未来

波動充電、波動交流発電機

『いろいろな真空エネルギー発電――新しい地球文明を求めて』（木下清宣著　宇宙環境保全センター　1991年6月30日発行）

（amazonの内容紹介　我々の住むこの地球社会がいかに危機にさらされているかを警告し、それを防ぎ輝かしい未来を築くための現実的で簡単な方法を説明する。）

この本を、何度読み返したことかわからない。

ただ、科学の分野において素人の私は、もっと身近なありあわせの物で、簡単にできることを中心に考えてきた。

さらに、「自然エネルギーを考える会」を発足し、会員の皆様にお願いしながら、実験、検証を繰り返してきた。

そして、いつも申し上げているとおり、多くの先達、諸先輩、先生方がお残しになったものを参考に、考えてきた。
船井幸雄先生はじめ、多くの先生方のご助言、ご教示に支えられて現在があります。

第1回目の「自然エネルギーを考える会」の講演会にて、使い古して駄目になった乾電池を回復、再利用できることを発表した。

これをが基本となって、鉱石の波動に関するものを中心に、開発を進めてきた　。

不思議なことに、波動発電機は直流と思いきや、直流では非常に不安定であるので向かないこともわかった。交流メーターでは、安定した値が計測できるのだ。

ニコラ・テスラ先生は、こんなところから交流電気を中心にお考えになったのではないかと思われる。

更に、波動電池については、電解液を必要としない。

かつて、バッテリー添加用としてご採用いただきました、船井幸雄先生にご命名いただきました「パワーリング」がある。

船井先生から、

「これはすごいパワーですね。パワーリングとしたらどうですか」と言っていただけたのだ。


パワーリングは、実は波動充電器だったのだ。

充電可能ということは、発電も可能であると考える。

ケシュ財団が設計図などを公開している発電機に接続すれば、交流波動発電機となるのではなかろうか。


現在、それを裏付けるべく、テストを続けているところである。

これがうまくいけば、おそらく、厚み2〜5ミリのバッテリーができることになる。通常の電池は電解液を必要とするので、サイズを小さくするにも限界がある。

しかし、私が進めているのは、電解液を必要としないのだ。

波動交流発電機、充電器……携帯電話用永久電池、などなどと、先走った考えも脳裏をかすめることである。

波動について教えていただきました船瀬俊介先生、パワーリングを命名いただきました船井幸雄先生、さらに、その根本となる波動鉱石についてのを残していただきました京都大学の林先生に、心からの感謝を込めて御礼申し上げます。

更に、私の作るものでガンが治るとお医者様に認めていただけたことも、望外の喜びであった。

また、塩野崎悦朗先生の『不思議な石の粉　ガンも治る⁉　ハゲも治る⁉　胆石・結石も溶かす⁉』（ハート出版）（Amazon 内容紹介　ガンも治る、ハゲも治る、胆石・結石も溶かす。体験者 4000 人が続々…、医者も首をかしげるホントの話。有機物の無臭分解、風呂水の浄化、枯れた木が甦る、末期の子宮ガンがなくなった、頭皮に毛が生えた、肌がすべすべになった、痛みがとれた…など薬でもないのに「体に効く石」、活性石の効果とその謎をレポートする）についても、おおいに参考にさせていただいている。

私も帽子に「カタリーズテープ」を付けたところ、その部分だけ、白髪が黒髪になった。

これについては、試験継続中である。

「カタリーズテープ」

さて、先述の私の開発品、「カタリーズテープ」について説明をしたい。

カタリーズテープとは、弊社で登録商標した、触媒物質を混入塗布された触媒テープの名称である。ちなみに、「パワーリング」もやはり、触媒物質を混入塗布した、金属の輪っかである。

開発の当初、実験のために自動車の塗料として塗布したところ、事故を起こして傷になったところをカモフラージュしている車と間違われたことがあった。

試作を繰り返す中で、触媒物質を混入すると塗料が固形化することがわかっていたので、テープに塗布して、「カタリーズテープ」を作ったのだ。

その頃は、クローム公害の問題があったクロームメッキの代替品として、公害を生じさせない高硬度表面処理ができるものを作るという目的もあった。

しかし、そこで気づいたのは、硬度に代わる触媒効果があるということだった。

触媒効果に気が付いたのは、車のディーラーに、自動車買い替えの相談に行ったときに、自動車部品にメッキしたものを、たまたまそこにあった車のエンジンの上に置き忘れたことに始まった。

その車に乗ったディーラーの社員さんが、「車が非常に調子がいい」とご報告くださったのだ。

これを塗料に混入して塗布したところ、次々と新事実、いろいろな方面に有効なことが判明し、これは製品化しようと「カタリーズテープ」と名付けた。

しかし、前述のように工業試験所には受け付けていただけなかったので、「自然エネルギーを考える会」を立ち上げて、会員に試験をお願いして、効果の確認をさせていただいた。

そして、講師の先生をお招きしてご指導頂き、会員の勉強会も開いて、発表の場とすることとした。

記しておかなければならないのは、先ほど述べた船井幸雄先生、草柳大蔵先生、関英男先生のご教示への感謝である。さらに、警察官退職後、技術を学ぼうと入学を希望した名古屋大学の、沖教授のご指導への感謝もある。

高校卒業直前、恩師のクラス担任の坂田先生、加藤教頭先生から、

「君は理科系志望のようだが、理科系の勉強は一生できるが、人間を作るのは今しかない」

といわれて差し出されたのは、法学部で有名な中央大学の願書であった。

もともとの希望は、湯川秀樹博士が教鞭を執られていた京都大学か、自宅から通学可能な名古屋大学の理科系であったが、恩師の勧めのとおりに中央大学に進み、結果、素晴らしい大学生活を送ることができた。

先生方がおっしゃったように、確かにここでの経験が、人間作りに貢献してくれたと思う。

警察官退職後、事業のために勉強をしようと、名古屋大学の聴講生になるためにうかがった沖教授とお話しした際、

「お聞きしましたところ、あなたには教えることはありません。わからないことがあったらお越しください。私でダメなら他の先生を紹介しますから」と言われた。

そこで、名古屋大学の聴講生になることはかなわなかったが、先達が書かれた専門的な本などから、十分な知識をいただくことはできた。


草柳大蔵先生のご講演後に、「廃棄された電池を復帰させたという話を学会でしたら、発表後に、『業者ごときが……』と叱られました」

という話を草柳先生にすると、

「あなたの作るものは本物だよ。だからこそ、気をつけたほうがいいよ」とアドバイスし

てくださった。

関英男先生は、訪問させていただいた研究室で、

「ＵＦＯはこれで飛んでいるんだよ」と、水晶（ケイ素）を見せてくださった。

私が今、こうしてあるのはすべて、前掲諸先生方のご教示のおかげである。

本当にありがとうございます。

「カタリーズテープ」「パワーリング」についていただいたご報告

保江邦夫博士の講演会にて。バッテリーカー、バッテリーフォークリフトなどのバッテリーに貼ると、電力が回復したことについて、「これは、現在の理論では説明ができない」とおっしゃられた。

市役所から、廃棄された乾電池、バッテリーの払い下げをいただき、テープを貼ると90％

の乾電池、バッテリーが回復し、使用可能になった。これを講演会で発表したが、市役所からは、「電気屋が困る」、以降禁止という注意を受けたのは先述したとおりである。

1. 保江邦夫博士の講演会にて。バッテリーカー、バッテリーフォークリフトなどのバッテリーに貼ると、電力が回復したことについて、「これは、現在の理論では説明ができない」とおっしゃられた。

2. 市役所から、廃棄された乾電池、バッテリーの払い下げをいただき、テープを貼ると90％の乾電池、バッテリーが回復し、使用可能になった。これを講演会で発表したが、市役所からは、以降禁止という注意を受けた。

3. 車のエンジン近くに貼ると、走行性能が改善した。

4. バッテリーのプラス側につけると、車の買い替えまでの20年間、交換不要であった。

さらに、オイル交換も不要だった。

5. 大型フェリー船のエンジンに塗布したら、燃費が20％以上節約できるが、オイル交換が1週間交換が6ヶ月に1回で良くなり、オイル店から「中止してくれ」と要請が来た。

6．２０１４年10月18日、岩崎士郎氏（空間エネルギー研究家）の講演会にて、実地指導をいただいた。
7．車の排気ガスが出なくなり、黒煙も出なくなった。
8．あるレーサーが、このテープを使用した車で発走した自動車レースにて、断然トップになった。
9．蛍光灯に貼ったら、無電流なのに点灯した（これについては再実験の必要あり）。
10．楽器に貼ると、音色が良くなった。
11．コップに貼ると、そこに注いだコーヒーはまろやかになるが、ビールは気が抜ける。
12．コースターに貼ると、コップの水がイオン水になるのか、電極を付けると1．5ボルト以上の電流が観測された。
13．農業では、苗床に設置したら、発芽や成長の促進が認められた。
14．プランター栽培の容器に貼付したら、やはり発芽と成長の促進があった。
15．災害地へ、照明器具や携帯電話の充電用に寄付したら、お医者様に渡り、ガンの患者さんが2週間～1ヶ月で軽快したとお知らせいただけた。

16. ガンの手術前に腰が痛かったので、布団の敷布の下にテープを入れて寝た後に手術入院、検査したところ、「ガンが小さくなっていますのでちょっと様子をみましょう」と言われた。2週間後に検査したら、「ガンが消えていました。手術は必要なくなりました」とのことだった。その後、数ヶ月経っても再発は認められないとの診断であった。

17. 陰極・陽極間に塗料を付けて地中に埋設セットすると、電位を生じ、豆電球が点灯した。これによる地中発電の可能性があるのではないか。

18. 九州の治療師さんが、「手術後に痛みがあるという患者さんの頭部に使用したら、楽になったと言われた」とお知らせいただけた。

19. 歩くのがつらくなったので、靴底にテープを貼ったら歩くのが楽になった。

20. 頭が痛いときに、テープを帽子の中へ入れていたら、その部分だけ白髪が黒くなってきた。

21. 陰極・陽極間に波動物質テープを設置すると電位を生ずる。

電位を生じさせるシステムについては、波動電池と命名して、今もテスト中である。

すべては宇宙の計らい

2022年3月には、コロナを体験したが、「カタリーズテープ」を床に敷いて寝ることで、ずいぶんと楽になることができた（詳細は後述する）。

無事にコロナから回復することができ、退院した日、トータルヘルスデザイン社の近藤社長様から、『あなたに起こることは、すべて宇宙の計らい　現成公案読解』（株式会社トータルヘルスデザイン）という、立花大敬先生のご著書が届いていた。

以下、トータルヘルスデザイン様の紹介文を引用する。

（引用はじめ）

九州一の進学校に勤め、生徒達を超難関校へ次々と進学させてきた「伝説の物理教師」、立花大敬さん。そんな大敬さんが、自らの「禅者」としての生涯を賭けて書き記した一冊が、誕生しました。

今や「禅」は「Zen」として、世界中の人々が注目するカルチャーとなりつつあります。そこには時代を越え、文化を越えて伝わる〈普遍の教え・智慧〉があるからではないでしょうか。

「世界一難解」、「日本の生んだ最高の哲学書」とも言われる仏教書〈正法眼蔵〉。その著者は、鎌倉時代に日本で曹洞宗を開いた道元禅師です。日本に禅文化を確立させた一人とも言われ、その影響は一宗派にとどまらず海外にまで広がり、これまでもスティーブ・ジョブスをはじめ多くの著名人や実業家の尊敬を集めてきました。

100巻にせまる〈正法眼蔵〉の研究に40年以上取り組んでこられた大敬さんは、「正法眼蔵の大切なことがらは、第一巻〈現成公案〉に集約されている」と話されます。

今作はその〈正法眼蔵第一巻、現成公案の巻〉に記された禅の奥義と真理を、大敬さんならではの童話のようなやさしさ、親しみやすさをもって解説されています。

大敬さんは、真理を崇めることなく、身近なものとして暮らしに取り入れ、運命を切り開くことを「開運」と呼ばれています。

『あなたに起こることは、すべて宇宙のはからい 現成公案読解』は、そのタイトルの通り、日常のヒトコマヒトコマによろこびが溢れていることを確認できるような、そんな一冊です。悩みや苦しみの日々が、いのちの可能性をスクスクと育む栄養に変わり、「成長の実感」となってあなたに返ってくることでしょう。

（引用おわり）

「あなたに起こることはすべて宇宙の計らい」とは、なんと素晴らしく心に響くお言葉であろうか。

コロナにかかったことも、回復は厳しいとお医者様に診断されたにも関わらず、こうして生還し、今は元気に過ごせていることも、すべてが宇宙のお計らいなのである。心から感謝させていただいた次第である。

「難病に苦しんでいる人を、お救いできる技術を勉強しなさい」との啓示を受けていると確信できた。

以前にも、拙著を読まれたという読者様からいただいたお葉書があった。

けれども、たまたまご来訪くださったお医者様が、読者様と同じ町から来られたことを思い出し、さっそくメールでお願いしたところ、快く引き受けていただき、ご診察いただけたのだ。

ご来訪のときにお渡しした私が作った物で、1日で快方に向かわれたとご連絡いただけた。

また、妻の両手に見たこともない湿疹ができたこともある。たまらないかゆみとかで爪でかきむしり続けているありさまだったので、テープを患部に付けさせると、1週間ほどでかゆみがほぼなくなったと喜んでいる。

妻は86歳、私は91歳で、ともに足に負担がかかって歩行困難になったのだが、足の裏に小型のパワーリングを付けるとずいぶんと楽になった。また、足のすねにテープを付けると、予想以上に楽になった。

後継者から工場を追われて移動した先の物置の作業場で、日々、制作させていただいている。

これこそが宇宙の采配。皆様のお役に立つ製作をさせていただける幸せを噛みしめる。さらに世にご奉公をさせていただく時間をお授けいただき、感謝以外にはありません。

ありがとうございます。

また、ガンにかかったときも、京都大学の林先生の鉱石波動水のおかげもあり、不思議なことにガンが消えたこともあった。その鉱石はブラジルのもので、屑物として売られていたので、本当に安価で入手できたのである。

ブラジルへの訪問時、すごいインフレではあったけれども、まさに資源の宝庫といえる状況であった。特に、宝石店がたくさんあったのを覚えている。良品には手が出なくても、屑物は千円札1枚でずっしりと重い石を入手できた。

酒に弱い私は、飛行機の長旅では、ビールを出されてもほんの少し、口をしめらせるくらいだったはずなのに、帰国のときには、どういうわけか、出されたビールを飲み干してしまったではないか。

よく考えたら、いただいた宝石屑が腰掛の下にあったのだ。

「そうか、宝石には、美しさはもとより、こんなに大きなパワーがあるのか」と、感激したことである。


すべては、皆様へのご奉仕に役立てるようにとの、宇宙からのお導きだったのではないだろうか。

私は医者ではないので、体への効果は明言できる立場ではない。ただ、事実を事実として記すのみである。


また、農業において、作物への効果があったとご報告がいただけた。すべて良い方向に向かいつつあるとお知らせくださり、ありがたいという以外にはありません。

これぞ宇宙のご采配の賜物と、深く感謝させていただいている。


私が生まれ落ちたとき、右手の中指には爪がなかった。

後に母に聞いたところ、

「おまえは、右手の中指に、針を握って生まれてきた」とのことであった。

母は、身重のときに、部落のお寺のお地蔵さんに、

「今度生まれてくる子を、強い子にしていただけますように」とお願いして、針を飲んだと言っていた。その針を私が握って誕生したということである。

そして、90歳を超える現在まで、右手の中指に爪はない。


そんな母の痛みから始まり、私も様々な苦難を経験し、その人生を思うとき、それが最善であったと、後世になって判明することばかりであった。

心からの感謝以外ない。

どれだけあるかは分からないが、残りの人生、生ある限り、宇宙のお計らいに感謝しながら、世のため人のためになる製品を生み出すため、日々、実験に励んでいるところである。

8月28日、メキシコの病院の院長先生のご来訪があった。

実は、メキシコ経団連の役員であった旧知の方の身内の方が、私の製品を使ってくださったそうだ。8月初めに知人の方の長男が来訪されたとき、私の作った物を持って帰国し、それを寝床に敷くと2日後に起床できたとのこと。その方はガンで寝たきりだったらしい。

院長先生には、いろいろなものをお持ち帰りいただいた。

第三章　コロナ体験

奇跡のリンゴの木村さん

『あなたに起こることは、すべて宇宙のはからい 現成公案読解』から、有名なリンゴ農家の木村秋則先生のご著書を思い出した。

木村さんは、それまでは不可能と言われていた無農薬でのリンゴ作りを成功した方として知られ、ご著書も多く、その本が映画化されたりと、人々に大きな感動を与えておられる。

ウイキペディアでも長い紹介文があるが、ご参考までに一部を引用する。

（引用はじめ）

無農薬栽培への挑戦

1978年から無農薬栽培に挑戦したが、木が衰弱して花は咲かず、葉にびっしりと虫がつき、虫の重さで枝が垂れ下がった。どうにかして農薬を使わずに人が食べるもので虫を駆除できないかと、味噌や焼酎を散布した。何か思いつけばすぐに畑に行き、あらゆる食品を片っ端から散布した。毎日手作業で虫を取ったが効果はなかった。

やがて木は枯れ、収穫量はゼロになった。どんなに苦労を重ねても収入がない状態が10年近くにわたって続き、キャバレーの客引きや出稼ぎで生活費を稼いだ。電気代や水道代を払うのがやっとで、畑の雑草を食べて生活費を切りつめた。数千万円の借金を背負い、「かまどけし（＝破産者、愚か者）」と呼ばれて周囲から孤立した。

奇跡のリンゴ

女房を安心して畑に行けるようにしてやりたいという気持ちが、結果的に、家族全員を地獄に落としてしまいました。

――木村秋則

1984年の夏、木村は死を決意して、ロープを持って岩木山をさまよった。山中は土の匂いがした。ドングリを見て「なぜ山の木には虫も病気も少ないのか」と思った。根本の土を掘りかえすと崩れるくらいに柔らかい。「この土を再現すれば、りんごが実るのではないか」――いままで自分の力でリンゴを実らすのだと思っていたが、自然の繋がりの中で多くの生き物が助け合った結果リンゴが実るのだと悟った。

木村は徹底的に自然を観察し、栽培方法を模索した。山の環境に近づけるため、草は刈らずに放置した。リンゴの根の上を重い機械が通ったら痛いだろうと思い、重い農機具を使わなくなった。

最終的に木村を助けたのは、大豆の根粒菌の作用で土作りを行った経験だった。土の中の根張りをよくするため大豆を利用したリンゴの木は年々状態が上向いていった。

1986年にようやくリンゴの花が咲き、果実が2つ実った。収穫したリンゴを一度神棚に置いてから家族全員で食べた。1989年、ついにリンゴの無農薬・無施肥栽培に成功した。木村が確立した無農薬・無施肥でのリンゴ栽培法は、従来不可能とされてきたことであり、弘前大学農学生命科学部の杉山修一は「恐らく世界で初めてではないか」と評した。

技術の普及活動

1993年頃から「環境を脅かさない農法こそが、これからの時代に誇りを持って取り組める農業だ」と考え、自然栽培の普及活動を始めた。国内外において技術の普及に努めており、農業指導や講演を行っている。

（引用おわり）

木村さんが苦心して達成された、無農薬無肥料のリンゴ栽培。現状を打破するということはいかに大変であるか。

特に、農協という大組織では、農薬販売からの利益がなくなれば大打撃なので、猛反発もうなずけなくもない。

私も農家の出身なので、田植え、真夏の暑い盛りの草取り（除草）など、家族総出で努力したことであった。

鈴木さんから伺った京都大学の林先生が、医療用に開発された鉱物を使用した薬剤も、「こんなものができたら、医者も病院もつぶれるではないか」と、却下されたという。

仕方なく、土壌改良剤にできないかということで、農家に渡してテスト依頼をすると、その結果は、素晴らしい野菜の出来栄えであったと。

ホウレンソウ、ニンジン、イチゴ、味も素晴らしい、見た目も素晴らしい農作物となったのだ。

市場では、野菜の仕入れ業者よりも先に、料理屋さんが倍の値段でお買い求めになり、八百屋さんには回らない状況になったとか。

かくして、農協からもストップがかかったとうかがっている。

そこで、私も挑戦しようと農協から農地をお借りして、鉱石を使用し、田んぼでは田植えのみ、除草も一切せずという農法を試してみた。

結果、稲の育ちも素晴らしく、収穫してみると20％の増収、さらに稲の穂が分け目からも生えてきて、20％、つまり、40％の増収であった。

しかも、一度の使用で、20年たっても土壌は改善されたままである。

野菜、果物（ミカン、夏みかん、トマト、西瓜等々）、米、すべてよし。

これが、鉱石の波動技術研究の出発点であった。

このように、木村さんが味わったたくさんのご苦労も、私自身、とても共感するところがある。どんなに周囲から反対の声があがったり、馬鹿にされたりすることがあっても、自然を愛し、なすべきことをなすという信念が、人を動かすものであろう。

新しい農業のあり方

農業とは、古くて、新しいお仕事ではないであろうか。

私の知る農業とは、畑、水田を鍬《くわ》や、備中という農機具で田畑を耕して食用植物を育て、収穫して食糧となし、さらに商品として市場に出荷するのが仕事であった。

その後、牛、馬という動力源が補助として追加された。その次は、電気を使う耕運機などの工業製品の発達によって次々に自動化された。

合理化された農業となり、昔とは大違い、隔世の感がある。

私が最初に新しい農業と出会ったのは、先述した「トマトの水耕栽培」という生産方式であった。工業化されて植物生産工場とも呼ばれるようになっている。

何段にも積み重なった水耕栽培、電気での温度管理など、自動化が著しい。

例として、南洋植物のメロンはいうに及ばず、パパイヤやマンゴーといった高級果物さえも、寒冷地で栽培される時代となっている。

自然栽培で有名な木村秋則さんの業績もさることながら、現在でも土壌の自然栽培もすたれてはいない。果物の樹を、10メートル～100メートルの大木に成長させられたら、どれほど素晴らしいことだろう。

そんなことを考えるとき、人間の将来は、予測できない。

名古屋大学の沖教授のおっしゃる、

「全能の神様からすれば、人間のすることなんて、神様の掌の上で踊っているのと同じことですよ」というお話。

コロナになり、病院からの帰宅当日に届いていた『あなたに起こることは、すべて宇宙のはからい』という本の題名もあり、あらためて沖教授のお聡を素晴らしいと思い、ありがたく、感謝いたした次第です。

コロナ体験

２０２２年３月、東日本大震災の折、携帯電話の充電のために寄付をしたテープを現地にお届けくださった照沼社長様から、あるご報告をいただいた。

私の作るテープがお医者様にわたり、癌の患者様が回復されたということである。

テープの追加のご注文をいただきますとともに、赤木純児先生のご著書『がん治療の免疫革命』（ワニブックス）（アマゾン紹介文「水素ガス吸入」と免疫治療薬オプジーボ、ハイパーサーミアによる温熱療法、そして低用量の抗がん剤を組み合わせた治療によって、数多くのステージ４のがん患者を救ってきた著者。熊本県にあるそのクリニックには全国から、標準治療ではもはや治療法がないと宣告された、いわゆる「ガン難民」と呼ばれる患者さんたちが多数訪れています）という本をいただいた。

その中でも、「第４章『水素ガス』は新型コロナ予防や認知症の改善にも役立つ」を読んで、とても納得できることがあった。

その直後に、どうしたことか高熱が出て、医院に連れていってもらったが、医院の中には入れていただけず、医者が自動車に乗ったままで診察した。

その後、医院の駐車場へ救急車が来て、トヨダ自動車の記念病院に運ばれ、そのまま入院させていただいた。

そこまではうろ覚えというか、ぼんやりと意識があったように記憶している。

その後、気が付いたのは、3日後の病室の中である。ちょうど病室を訪れた看護師さんが、「気が付きましたか。胸の様子はどうですか」と、声をかけてくださり、家から届いた寝巻きに病院の着物から着替えさせていただけた。

「胸の様子はどうですか。苦しくありませんか」と聞かれる中、酸素吸入器がぼこぼこと音を立てていた。

その着替えと共に、私の作るテープと、コップの下に置くコースターが入っていた。

胸の上にテープをおき、出されたコップをコースターの上てから、一口飲んだお水のありがたいこと。

それから、1日の長かったことである。それまでの毎日は、パソコンに向かい、テープ作りの準備や制作、その他にも休む暇なしの毎日であったのが、ベットの上の10分の長いことといえばなかった。

思えば、警察官を退職して以来、夜も昼もない毎日であったことを思えば、良い休息だったのだろう。

このときには、人に伝えられる手段であるパソコン、筆記具のありがたさも、しみじみと感じたことだった。

抗ガン剤

抗ガン剤とは何であろうか。

ガンに罹患した患者は、必死の思いで担当医師の診察を受け、闘病を余儀なくされる。私の同級生の幾人かもガンと診断されて、手術を受け、抗ガン剤の投与により頭髪は抜け落ち、それを隠すために頭部に布を巻くという悲しい姿になって、面会も楽しくないだろうと思えた。

私の両親は、本家の後継者の成長とともに、本家から遠ざけられた。戦後の食糧難をはじめ、何もかも不足、というよりも無いに等しい時代に、丘裾《おかすそ》に木立が少しあるところの下に、瓦用の粘土を掘り尽くしたはげ山があって安く手に入ると聞き、現在の住居を、仲間にしてくれと頼んできた人と2人で購入した。

父がそこに急遽、掘っ立て小屋を建て、2月3日の節分の日に片方の壁を塗ったのみで、まだそれも乾かないベタベタの部屋に布団を敷き、父と2人、震えながら一晩を過ごした記憶がある。

これは、忘れもしない終戦の翌年、厳冬の節分の日のことである。私が旧制刈谷中学1年生のときであった。

学校から帰ると、はげ山を開墾して種を蒔き、肥料もない時代に野菜を育てた。生活するというよりも、生きるため、家族のために。

この時代、授業料が5円、電車通学の定期券が1ヶ月1円であった。

旧制刈谷中学校から学区制変更で刈谷高等学校になり、たまたま父の勧めでパン製造業を開業した。毎日、午前零時に起床、パンの生地を仕込み、4時にまるめて焼き上げるため家族を起こし、焼き上げて三河線竹村駅から学校へ向かっていたが、いつも遅刻していた。

こんな苦労をしつつ無事に大人となり、家族も増えて今や高齢者となったが、同級生たちも同様に、やはり苦労をして人生を構築してきたに違いない。

それなのに、ガンになってしまって悲しい姿になったのを見ると、代替療法について、少しでも貢献できる開発をしなくてはと、志を新たにする次第である。

第四章　波動の時代、到来か

波動食器

先日、鉱石の微粉製造機（粉砕機）をお譲りいただきました服部様に、新しい部品をお願いいたしました。

少し遅れていると思っていると、

「遅れましてすみませんでした」とお持ちいただけたのは、お願いした部品のほかに、以前少しお分けした鉱石を入れて作ってくださったという急須であった。

服部様は、窯業《ようぎょう》会社の社長さんの弟でいらしたので、食器の制作も可能であったようだ。しかし、以前はその会社の役員でいらしたのが、お兄さんはなくなり、役員も退かれたとのことである。

「こんなものを作ってみました」とお持ちいただけた急須に、さっそくお湯を入れて飲んでみると、間違いなく、素晴らしい波動水になっていた。そこで、

「これは素晴らしいですね。貴方はまだ私より若い。こんなに良いものなら、新しい会社

を作って販売なさいませんか。私も応援致します」とご提案させていただいた。そして、「今まで培われた焼成物の技術を生かして、別の会社を立ち上げれば、新しい目標ができるではありませんか。

ペットの食器にしたり、植木鉢にもできる。人間ばかりではなく、動植物にまで役立つというのが、本当に素晴らしい。ぜひいっしょに頑張りましょう」とお話したことである。

考えてみると、病気になって治療するよりも、病気にならない予防医学がまずは大切である。

その点でも、大きな社会貢献となる。

私がコロナになったとき、波動コースターの上にコップを置き、中に入れたお水を飲んで体が楽になったように、病気のとき、体調が悪いときにも効果が期待される。

波動茶碗、波動コップ、波動皿、波動植木鉢などなど、夢を大きく膨らませているところである。

柿の皮

サツマイモ農家の照沼社長様から、果物の柿の表皮とニンニク成分を原料にした、サプリメントをいただきました。

照沼社長は、日本とアフリカのタンザニアにあるサツマイモ栽培の大農家の社長さんであるが、友人が、自然の植物で、栄養のあるものということで、柿の表皮とニンニク成分をお試しになったところ、お母さんの骨密度が5ヶ月で飛躍的に上がり、お医者様が驚いていたとか。

そこで、サプリメントとして利用できないかと考えたところ、商品とするには、薬事法などの問題もあり、簡単には皆様にご利用いただけないことが分かったそうである。それを、「もしよかったらお試しいただけないか」と送ってくださったのだ。

骨密度が上がるというならば、90歳前後の私たち夫婦としては、願ってもないありがたいもの。

喜んで試させていただいているところであります。

だんだん歩行困難になります年頃ではあるが、私も女房も、杖に頼らず歩けている。両手に野菜を持って歩けるのも、やはりこのサプリメントの効果があってこその可能性も否定できないところである。

友人とは、ありがいものだ。

先述のように照沼社長様にお願いして、東日本大震災の折、携帯電話の充電のために寄付をしたテープがお医者様にわたり、癌の患者様が回復されたということ。

ガンが寝ているだけで回復するとなれば、もはや医薬品である。

以前にも、船井幸雄先生が充電可能であると認めていただき、トータルヘルスデザイン社から開発品を充電器、または装飾品として販売いただけたが、ガンに効くということで医薬品と間違われては困る、と販売中止とさせていただいたことを思い出した。

医療品扱いになると逆に普及しづらくなるというのは、難儀なものである。

自然食品の店

少し前、豊田市内に店を構える、自然食品の店と呼んでいるお店の社長様から電話があった。

「何か良いものを開発されたと聞きました。良いものならば、当店でも販売させていただけませんでしょうか」と。

「一度見ていただけませんでしょうか」とお答えすると、社長様と専務の息子さんとお越しいただけたので、私の作る物を何種類かお渡しし、

「お役に立つならばぜひお願いいたします。お客様がお求めいただけるお値段で結構です」と、お話しした。

私の希望は、製品がお役に立てて、お客様に喜んでいただけることなので、値段は関係ないのである。

昨年3月にはコロナになり、本来ならば、よくて寝たきり老人という可能性が高かった。命を助けていただけただけでもありがたいのに、次々とアイデアまで与えていただき、皆様に恩返しできるのであれば、それで十分なことなのだ。

「お役に立てるのでしたら、何なりとお申し付けください」とお伝えした。

お店としては、もちろん利益が必要なのだから、売価はそんなに安いものにはできないだろうが、とにかく販売くださるだけでもありがたい。

それにしても、私の本業のメッキの品物以外は、見た目も洗練されたものにはなかなかできないのが、今一つ、心残りではありますが。

私が過去に作り、現在あるものはお出しできるが、新しいものの量産は難しいところではある。

私の後継者である甥の恒には、技術までを引き継いでいただけないのが残念である。

本業のメッキはできなくても、私の自宅物置で作る塗装テープが照沼様からお医者様に渡り、それによってがんの患者が2週間から1ヶ月で全快したと聞いた。

商品とは何ぞや

自分がガンや新型コロナウイルス感染という病気になり、試してみた際に感じたことや、皆様にうかがったことを中心に、一番体につけやすい、しかも、効果が出やすいものを試作してみた。

寝具に敷くのは、テープが平面であることから問題がなかった。

椅子に座る場合は、背もたれに貼ってみたり、座る面に敷いてみたりと試してみて、家族をはじめ知人にも意見を聞いた。

ドイツのスピツアー博士が来日したのでお尋ねしてみると、椅子の生活では椅子用が良いようだとおっしゃっていた。

使い心地には問題がないということで、販売、お取り扱いいただける方にもご覧いただいた。

やはり、商品とするのには、効果よりもまず一見して洗練されていて見栄えのすることが最優先であるということであった。

そして、使用する方の心持ちも重要であるということも分かってきた。

「こんなものが効果があるのか？」と思うような方にはほぼ効果が現れない。藁にも縋るようなお気持ちで、「ありがとうございます」という感謝をお持ちの方には、顕著な効果があるようだ。

商品とは、ことほど左様に、見た目ではなく心に響くかどうか、謙虚な気持ちを持てるかどうかに依るものではないであろうか。

たくさんの商品が乱立する現在、心に響く商品とはどのように開発したらよいのか。また、１００円の原価の物を２００円で売るのか、あるいは、キレイに飾りつけて、10万円の値段をつけるのか……。

船井幸雄先生に命名いただいた「パワーリング」については、原価1円のリングに10円分ほどのメッキを施したものである（加工費は別だが）。

これを自動車に取り付けたら、燃費は20％以上アップ、バッテリーは20年たっても傷まない、オイルは汚れないという状況になった。

お客さんからは、「1万円でもほしい」といわれていたが、結局、3000円に決着した。

加工費を入れても数十円のものが、3000円に化けるとは不思議物語である。

瞬間充電とは

「これは、瞬間充電ですね」と、慶応大学の先生にお喜びいただけた。

とはいえ、一瞬にして電池容量の100%を充電するわけではない。

かつて、学会で発表したときも、最低限、使用可能の状態にできたということでしかないのだが。

使用不能になった電池にテープを貼ると、1．5ボルトの電池について、0．003ボルトずつの波動曲線を描いて回復しているのが観測された。

10年ほど前に止まった電池式の腕時計が再起動するのには、3ヶ月ほどかかった。それでも、再生可能とは言えるのではないかと思う。

電池で動く柱時計についても、遅れ始めたときに、時計の裏側にテープを貼ると1日ほどたった頃には、正常に時を刻んでいた。柱時計にも、1．5ボルトの乾電池が1個入っていた。

バッテリーの再生について、保江邦夫博士が、「現在の理論では説明できない」と、講演会にてご説明くださった。

素人の私が申し上げることではないが、やはり、理論では説明できない効果が認められるということではないだろうか。

また、他にも例があったが、通常は3～5年で消耗するバッテリーにテープを貼ったら、20年たっても正常に利用できているというのは、一つの革命ではないだろうか。

保江先生のご説明のごとく、学会で認められた理論は通用しない。

それでも、未確認飛行物体であるＵＦＯも、最近は事実として認められているように、未確認電池再生であっても、事実は事実と言えるのではないだろうか。

電流とは

電気とは、物質の中の電荷の移動や、相互作用で起こる様々な物理現象の総称ということである。

では、病気とは何であろうかと考えると、体内でスムースに流れるべきものが滞留することによって起きることではないだろうか。それが、病の根源であると思う。

電流と同じように、体の中にある不必要なものは早く流し出し、必要な物質を大切に滞留させるのが、健康でいられるコツというものではないだろうか。

そして、それをうまくコントロールしてくれるのが、波動ではないか。

病気の治療とは、その根源を検出し、必要な波動を投入するのが医師であると思う。

それを的確に見つけ出すのが名医であり、その名医とは、隠徳を積み、天の恵をいただける方であると想像するが、いかがであろうか。

さて、その名医とはどなたなのか。

病気の箇所を一番よく知るのは、病人その人である。自身がすべてを分かっているのだ。病気にならないためにも、できるだけ不調和を避け、健やかな状態を保ちたいものである。自分の体はもちろん、心を磨くことを心がけたい。

当然だが、生身の体、欲望もあり、財産も欲しい。しかし、所詮人生は長くて百年ほどのものである。

心して、世のため人のためにいくばくかの心を尽くすことこそ、最良の病気予防対策ではないかと、コロナ以降に宇宙からの教えをいただきました。

波動の時代、到来か

『聖徳太子が遺してくれた成功の自然法則』（興心館）という徳山揮純先生の著書を購入させていただいた。ホームページでは、以下のような紹介文となっている。

（引用はじめ）

彼らを成功へと導いた秘密の教えとは？

歴史上の偉人から国内外のトップリーダーまで多くの成功者が憧れ、学び、人生を飛躍させた聖徳太子の教えの本質は、ひと言でいえば「自然法則に順《したが》う」という極めてシンプルなものです。

たとえば、花は暖かければ咲くというものではありません。夏のひまわりの後、気温が下がると、秋の花・菊が花開きます。

誰に教えられたわけでもなく、自然の法則に順って、それぞれの花が開花時期を知り、適切な時期に花を咲かせます。種を蒔く時を間違えれば、花は咲くこともなく、枯れてしまいます。

人間や家庭も、企業も、国家も同じです。自然法則に順うことで、その花を咲かせ、方向に迷うことなく生きることができます。

それが古来「帝王學」として、指導者＝リーダーと言われる人々が学び続け、脈々と受け継がれてきた大成の秘訣です。

それは、政治・経済・経営・科学技術・医療・教育・文化・芸術・・・あらゆる學問の原点でもあります。

その自然法則は、気（心）・愛・時の三つで表されます。この三つを知り、それに順うことで、人生のあらゆる側面で成功することができます。

仕事の成功や豊かさも、心身の健康も、家庭や友人間・職場での人間関係も、この自然法則の中で全て繋がっているからです。

あなたが抱える悩みの「答え」が全部詰まっていると言っていい、聖徳太子の時代から連綿と受け継がれてきた日本の帝王學「天地の學」を本書では公開しています。

（引用おわり）

この本の中でも、特に感銘を受けたのが以下の部分である。

「生命はみな、地球の自転と公転から生み出される磁気波動に順って生きています。だから、花は咲く時期を知り、渡り鳥や鮭は間違えることなく目的地に辿り着くことができるのです。人間や100年を超した企業も同じです。自然法則に順うことで、その花を咲かせる方向に、迷うことなく生きることができるのです。

地球上にある限り、鳥も魚も勿論人間も自然の波動、地球の自転に従わなければ、人間の営む企業も勿論、名が續かないということを聖徳太子が、何百年も前に残して頂いていますことを、日本の帝王学「天地の学」にて知りました。

仕事の成功や豊かさも、心身の健康も、家庭や友人間・職場での人間関係も、企業や国家の繋栄も、政治も、経済も、教育も、医療も、科学技術も芸術も、更に貧富の格差や環境問題などの社会問題の解決に至るまで、地球からのメッセージでもある自然法則（気＝愛＝時）に従うことこそが、日本に古来から伝わる繁栄の秘訣です。」

関心がおありの方は、ぜひリアルインサイトのホームページをご覧いただきたい。

(https://www.realinsight.co.jp/lp/koshinkan/cp2202/)

私が波動に気が付いたのも、正に自身の開発は天の命令のよるものと信じたからである。

「こんなものができてはメーカーが困る」とか、「業者ごときが学会を汚すのか」と、お叱りを受けようとも、世に役立つものは自然法則に順うものという信念で、これからも歩んでいく所存である。

放射能汚染水の除染について

東日本の放射能汚染水の放流について、問題があると外国から指摘されているとニュースで聞いた。

東日本大震災直後、私が真っ先に恐れたのは汚染水の問題であった。

かつて、深野一幸先生からご紹介いただいた、佐藤亮拿先生の著書、『奇跡の炎マルチアークーこれが宇宙エネルギー発生器だ!』（コスモトゥーワン　平成6年7月1日発行）を読んだ。アマゾンでの紹介文は以下のようである。

「ノストラダムスが予言した『三角ランプ・マルチアーク』の超技術とは果たして何か。エネルギー革命の最前線を描いた衝撃的な内容。」

アマゾンのレビュー（レビュアー　iwati）には、開発者の理論がある程度わかる内容があったので、引用させていただく。

（引用はじめ）

水の中で炎が燃える？　不思議な現象と脅威のエネルギー

http://www.youtube.com/watch?v=kciYvpxv8y8（動画のコメントより）

マルチアークで溶かすと、どんなものでもすぐ溶けるだけでなく、酸化しない不思議な世界を作り出す。上古代にあったという錆びない鉄もできる。また、地球上では不可能といわれている鉄とアルミの合金や金と鉄、その他あらゆる金属の合金ができる。

マルチアークの用途としては、（1）水中でマルチアークを照射して得られた水は活性水になり，様々な効果がある。（2）これまでにない新しい材料の開発ができる。（3）ゴミ処理など環境保全の分野に役立つ。（4）金属の直接精錬ができる。（5）マルチアーク発電ができる。

マルチアーク水とその効果

水中でマルチアークを放射すると，周りの水は極めて活性のある水に変化する。水中でマルチアークするというのは，水中で雷を発生させた水と同じである。この水で，多くの医者にさじを投げられた人たちが不思議とよくなっていくのである。生命パワーをもった水になるのである。これが血液の中、細胞の中へ入っていくので、生命本来のパワーが活性化し、本来あるべき宇宙波動と共鳴した身体波動が生まれる。これによってガン細胞のように狂った振動をもった異物を正し、自然と本来の健康な身体の細胞振動に戻してくれるのである。

西洋医学はこの狂った異物を殺そう、取り出して棄てようとして、薬物を身体内に投入する。この点マルチアーク水は東洋の根源につながるものである。事実、信じられないほど病気が改善する。（マルチアーク発明者）談

（引用おわり）

私は、この本を読んだ直後に神戸市の佐藤先生をお尋ねして、マルチアークについてお話を伺った。

その後、東日本大震災が発生し、東日本在住の方から紹介された5～6人の関西在住の方と一緒に、佐藤先生の開発技術による放射能除染技術を使っていただけないかとお願いに上がった。

しかし、佐藤先生はすでに老人ホームに入所中で、会社は中近東の国に買収されてすでになく、

「図面を渡すから、これで装置を作り、あなたたちでやってくれないか」とのことであった。

お話を聞いていくと、佐藤先生の制作された装置が、国内に3台ほどあることがわかった。

その後、私が自宅の100ボルトの装置で、東日本の「汚染土壌」「汚染雑草」をスパークテストしてみると、汚染度が、100ボルトでも一瞬にして2分の1に急減した。

「200ボルトの装置では、さぞや効果があるに違いない」と思い、佐藤先生の国内販売先が富山県にあるとわかっていたのだが、私個人の力ではどうにもできず、断念した。

災害発生当時は民主党政権の時代だったので、民主党の代議士先生にお話ししたが、「それは難しい」とのお返事だけで、それ以上は進展しなかった。


しかし、今回の汚染水放流についての問題は、見るに忍びず、

「日本には素晴らしい技術が存在することを知っていただき、なんとか改善されるように」と願っている。

栃木県の青木様へ（私の本を読んだとおっしゃる方）

お電話をいただき、ありがとうございました。

私は、91歳、難聴のためお聞き取りがむずかしいため、妻に電話を代わってもらってお話を拝聴させました。

農業方面に限らず、鉱石波動の素晴らしさをいかにして皆様にお伝えいたそうかと、日々考えているところです。

つたない文章ではありますが、出版社のおかげをもちまして、本にしていただけました。

最初に石の効能に気が付きましたのは、丹波篠山の清水様とおっしゃる方が、他の4人の農家の方とお始めになったという、水耕栽培（全く新しい農法）を見学させていただいた折でした。トマトが、それは素晴らしい実りを見せてくれていました。

愛知県から、丹波篠山まで4時間以上かけて出かけ、土の畑ではなく容器に石を入れた水に、トマトの木が1メートル75センチの私の背丈より伸びていました。

石の効果を理解しましたのはその頃のことです。

ただ 私の作る製品は、工業試験所にも受け付けていただけず、「自然エネルギーを考える会」を立ち上げ、会員の皆様にご意見をいただき、新製品を作り出すことに精進してまいりました。

私が始めたのはメッキ業なのですが、それも外国特許導入の、金属メッキの中にテフロンを入れる物と、セラミック（石の粉）を析出するものでした。

石の粉には大きなパワーがあることが分かり、それでは、石の粉を、塗料に混ぜて塗布したらどうかと思うようになりました。

試していたところ、だめになった電池の回復、バッテリーにつけると20年たってもいたまない、などの嬉しい効果が見られました。

さらに、京都大学の林教授が当時の厚生省に依頼されて作った癌の薬が、野菜にも良いと聞いて使用してみましたところ、稲にも野菜にも抜群の効果があったのです。

田んぼの水口に石を入れたり、石の粉を撒いたりしましたが、いずれも素晴らしい結果を出してもらうことができ、論文などでも発表させていただいた次第でした。

青木様へ（2）石の効果について

青木様からのお電話では、農業方面について述べましたが、そのほか「自然エネルギーを考える会」の荒川様という会員様が長野県の別の会に勉強においでになり、

「家の四隅に置かれたらどうですか」というアドバイスをくださいました。

石の粉を丸く固めたものを、置いたらどうかというご提案でしたので、セメントに石の粉を入れて、お皿の中で固めたものを四隅に置いてみました。

そのお陰かとも思いますが、無事に90歳まで生きることができ、家族ともども、現在があります。

そして、その丸い固めたものを、妻が、枯れる寸前だったあじさいの植木鉢に置きましたところ、あじさいの木がみるみる元気を取り戻して、2個の鉢に立派な花をつけてくれました。妻も喜んで、

「ちょっと見てください。こんなに生き返った」と。石の効果の素晴らしさをあらためて教えていただけたのです。

また、発電、充電の可能性がある開発品「カタリーズテープ」を、東北や九州の災害地にご寄付しました。

それが、お医者様にわたり、がんの患者様をはじめ難病でお困りの方の一助になりつつありますことを、身に染みて感じております。本当に、感謝以外にありません。

青木様にも、この事実をお知らせさせていただきます。

また、私は「石」には意思があると思います。と申しますのは、「こんなものが効くかなぁ」

とおっしゃった方には、効果があったことはありませんでした。

「ありがとう」とおっしゃった方には、効果抜群でした。

Ａ様

今年は季節を間違えたのか、桜もすでに散ってきましたね。

いつもご愛顧をいただき、ありがとうございます。まずはお礼を申し上げます。

実は、私もすでに91歳、体も日に日に老化を実感するような状態となりました。

心と体のアンバランス、気持ちは働きたく思えども、足や体が心の思うままに動いてくれません。

高木特殊工業はありがたいことに、甥が社長となって引き継いでくれましたが、私が培ってきた技術は引き継いでいただけず、さらに工場も事務所も追い出されてしまいました。

一番中心の技術も継承してはいただけません。表面処理の電着メッキは不可能で、塗装技術のみとなり、その技術は次女の夫婦に引き継いでもらえることになり、別会社「合同会社波動科学研究所」を設立いたしました。

私は、高校時代に「パン製造販売」の工場を父の勧めと援助にて、発足し、製造販売の技術を教わりました。おかげさまで、現在があります。

自ら教わることは難しくはないのですが、人に学んでいただくことはとても難しいことです。

しかし、すべてではなくても、引き継いでいただけることのありがたさを思えば、感謝以外にありません。

後継の、次女夫婦についても引き続きよろしくお願いいたします。

あとがき

これまでの本にも書いてきたことだが、大学卒業に際し、将来どのような職業につくとしても販売の勉強は必要だと思い、先輩の勤めていた商社に採用通知をいただくも、卒業直前の2月になって、「経済界の不況により、本年は採用できないことに決定致しました」と書かれた1枚のハガキが届いた。

その後、現在まで、両親に育てられた兄弟、そして、結婚して今度は私が作った家族、その全員が、健康な家族としてあり続けることは非常に難しく、ありがたいことだった。

岐阜県警察に採用していただいたおかげで、社会全体を見る目をご指導いただけた。

しかし、私の生涯の目的は、世界や皆様に、役立つ物を作り出すことであった。

父は私に、皆様のお役に立てて喜んでお買い求めいただける物を作る製造業をやってほしいと希望していた。

そして世界中を回り、できれば商船学校へ入学し、世界を見て回ってほしいと願っていた。

父は、私に開業させるために、『プラスチックのメッキ』という本を勧めてくれた。しかし、プラスチックのメッキは設備費が高かったので、弟が勧めるタンク1個でできる金型のメッキをやることになった。

メッキ業を開業してみてわかったことは、すでに業者がしのぎを削っている業界であるということであった。

それでも、ある会社に突然思いもかけぬ困り事が持ち上がり、どこの会社も無理だと断った仕事が急遽、私の工場でできたことにより、ありがたいことに、新しい業界に進むことになった。

私は開業したばかりだったので、先述のように工業試験所へ相談に行ってもご指導いただけず、名古屋大学の聴講生志願に訪問すると、担当の教授のお計らいで専門の先生をご紹介いただけて、それによって開発がスタートできたのである。

さらに、工業試験所が受け付けてくださらなかったことで、知人を通じて「自然エネルギーを考える会」を立ち上げて、皆様のご意見を取り入れた商品を作り、技術確認をしていただけるようになった。

そして、第1回発会総会を開催し、山根一眞先生にご講演いただいた。私の作るものは、ダメになった乾電池やバッテリーの再生充電等々であった。

その後、私は声が出なくなり、耳鼻咽喉科に行くと医者の顔色が変わった。画面を見ながら私が、

「素人の私が見ても、これはガンではありませんか」と言うと、

「本人が言うならはっきりお伝えしますが、これはガンです。がんセンターを紹介するから、すぐに行って下さい」と言われた。

「わかりました。がんとわかればそれで結構です。私には試してみたいことがありますから」と言って、がんセンターには行かなかった。

これはまさに神様の思し召しと、感謝しながら、京都大学の林先生の鉱石波動水のおかげ

もあり、不思議なことにガンが消えたこともあった。
病院に再診に行ったとき、これには、お医者様がびっくりされた。
人生とは不思議なものである。
「宇宙の采配」が、常にそこにある気がしてならない。

波動発電《はどうはつでん》は宇宙《うちゅう》の采配《さいはい》

高木《たかぎ》　利誌《としじ》

明窓出版

令和五年十月十五日　初刷発行

発行者――麻生 真澄
発行所――明窓出版株式会社
〒一六四―〇〇一二
東京都中野区本町六―二七―一三

印刷所――中央精版印刷株式会社

ISBN978-4-89634-470-7

プロフィール

高木 利誌（たかぎ としじ）

1932 年（昭和 7 年）、愛知県豊田市生まれ。旧制中学 1 年生の 8 月に終戦を迎え、制度変更により高校編入。高校 1 年生の 8 月、製パン工場を開業。高校生活と製パン業を併業する。理科系進学を希望するも恩師のアドバイスで文系の中央大学法学部進学。卒業後、岐阜県警奉職。35 歳にて退職。1969 年（昭和 44 年）、高木特殊工業株式会社設立開業。53 歳のとき脳梗塞、63 歳でがんを発病。これを機に、経営を息子に任せ、民間療法によりがん治癒。現在に至る。

ぼけ防止のために勉強して、いただけた免状（令和 4年 10月 4日には、6段になった）

齢90歳を過ぎてなお、
精力的に自然エネルギーの研究を続ける
高木利誌氏の人生を刻んだ一冊。

そこには全てへの感謝がある。

鉱石が導く波動発電の未来
高木利誌　著　本体価格：1,500円＋税

第一章　90年の人生を振り返って

すべては「宇宙の計らい」
第二次世界大戦戦時下、戦後の中学校時代
高校時代に初めての開業
大学にて人間作り
社会人としての新たなるスタート
父の教えのありがたさ
戦前戦後の無農薬無肥料
高木特殊工業について
トーステン・スピッツアー博士

第二章　電気とは

電気とは
厚メッキ
高木特殊工業の発足
理科系製造業発足の経緯
金型メッキ操業開始

第三章　触媒充電ができるカタリーズテープとは

カタリーズ（触媒）
触媒充電テープにまつわる話
（使用者様からのリポートなど）
道路発電所について
ダイヤモンドメッキ
研究とは
ガンに勝つ水
（他一章）

巻末には論文も収録！

付録：カタリーズテープ
（鉱石メッキ付き）

世のため人のため——

63歳で患った末期癌を、自然のすばらしい力により寛解し、90歳になった今もなお精力的に活動する高木氏。

鉱物の力を、自身が培ってきたメッキ技術と融合させ完成させたパワーリング・カタリーズテープの効力には、各界より多数の称賛が寄せられている。

また、

「命を与え、育み、ときに病気も改善するのは水だ」

という悟りに達し、自身の病において鉱物の恩恵にも授かった高木氏は、そのどちらも使用する者の意思を映すものであり、

「ありがとう」

という気持ちがあってこそだと言う。

今もなお猛威を振るう新型コロナウイルスに自身も翻弄されつつ、振り返る90年の人生。

その道中を塞がれることは幾度もあったが、探究心は枯れることなく高木氏を突き動かしてきた。

変わりゆく世の中にあり、なお
**「ありがたい時代に
生きさせていただいている幸せに
感謝している」**

という高木氏の、感謝と社会貢献はこれからも続いていく。

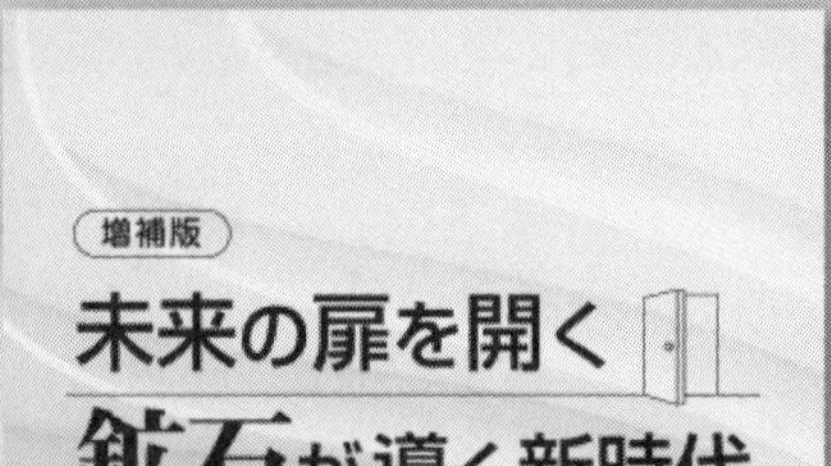

本体価格　1,000円＋税

目次

- 鉱石で燃費が20%近くも節約できる?!
- 珪素の波動を電気に変える?!
- 地中から電気が取り出せる?!

本体価格　1,180円＋税

太陽光発電に代わる新たなエコ・エネルギーと注目される「水晶」。

日本のニコラ・テスラこと高木利誌氏が熊本地震や東日本大震災などの大災害からヒントを得て、土という無尽蔵のエネルギー源から電気を取り出す驚天動地の技術資料。